HERMÉNÉGILDE
L'ACADIEN

Données de catalogage avant publication (Canada)

Raimbault, Alain
    Herménégilde l'Acadien
    (Collection Plus)
    Pour les jeunes de 9 ans et plus.
    ISBN 2-89428-441-1

    1. Acadiens, Déportation des, 1755 – Romans, nouvelles, etc.
pour la jeunesse. 2. Micmac (Indiens) – Romans, nouvelles, etc.
pour la jeunesse. I. Titre.

PS8585.A45H47 2000   jC843'.6   C00-940415-5
PS9585.A45H47 2000
PZ23.R34Ha 2000

L'éditeur a tenu à respecter les particularités linguistiques des auteurs qui viennent de toutes les régions de la francophonie. Cette variété constitue une grande richesse pour la collection.

Directrice de collection : **Françoise Ligier**
Maquette de la couverture : **Marie-France Leroux**
Mise en page : **Lucie Coulombe**

Les Éditions Hurtubise HMH bénéficient du soutien financier des institutions suivantes pour leurs activités d'édition :

– Conseil des Arts du Canada ;
– Gouvernement du Canada par l'entremise du Programme
  d'aide au développement de l'industrie de l'édition (PADIÉ) ;
– Société de développement des entreprises culturelles au
  Québec (SODEC).

© Copyright 2000, 2003
Éditions Hurtubise HMH ltée
1815, avenue De Lorimier
Montréal (Québec) H2K 3W6 CANADA
Téléphone : (514) 523-1523

ISBN 2-89428-441-1

Dépôt légal/1er trimestre 2000
Bibliothèque nationale du Québec
Bibliothèque nationale du Canada

Imprimé au Canada

HERMÉNÉGILDE L'ACADIEN

Alain Raimbault

illustré par
Béatrice Leclercq

Collection Plus
dirigée par Françoise Ligier

Alain RAIMBAULT habite en Nouvelle-Écosse où il enseigne le français et l'espagnol dans une école francophone.

Il a toujours écrit des poèmes et a publié dans des revues de la poésie et des nouvelles.

Herménégilde l'Acadien est son premier roman pour les jeunes.

Béatrice LECLERCQ a commencé son métier d'illustratrice dans des ateliers de tapisserie. C'est à Aubusson, en France, qu'elle a créé pendant plusieurs années des personnages et des motifs décoratifs avec la laine et le coton. Dans la collection Plus, elle a illustré *Ulysse qui voulait voir Paris*, *Kouka*, *L'Écureuil et le cochon*, *Chèvres et Loups*, *Le Bonnet bleu*, *Le Cœur entre les dents* et *Le Papillon des neiges*.

1

Herménégilde et Long Souffle

— J'ai fait un rêve, dit Long Souffle, en s'arrêtant dans la clairière du cap Fendu*.

Depuis peu, Herménégilde, l'Acadien, avait appris à laisser parler son frère micmac et à respecter ses silences.

— Dans ce rêve, j'ai vu les corbeaux quitter le nid. Leur vol affolé déchirait l'horizon.

Personne ne savait relever la trace d'un animal mieux que Long Souffle. Par exemple, il pouvait traquer l'orignal les yeux fermés.

Herménégilde lui demandait toujours des explications.

— Comment as-tu trouvé sa trace ?

Long Souffle répondait :

— Le vent me guide.

Le vent, le vent...

Herménégilde levait les yeux au ciel sans rien comprendre.

— Peux-tu m'expliquer davantage? Je ne comprends pas.

— C'est très simple. J'observe sa direction quand il souffle dans les arbres. J'écoute sa force chanter dans les buissons. Je capte les odeurs qu'il transporte.

Long Souffle n'avait pas encore le droit de tuer l'orignal, comme les hommes de son peuple. Mais il savait le débusquer en moins d'une journée et les chasseurs le suivaient. Plus tard, dans plusieurs lunes encore, il pourrait à son tour en tuer un et en manger pour la première fois. Il entrerait alors dans le cercle des chasseurs.

Il avait appris à son ami à harponner les poissons au trident, à capturer le gaspareau* à la nasse quand il remonte les rivières au printemps, et à dénicher les œufs de tous les oiseaux des falaises rouges du bassin des Mines. Mais son jeu préféré était d'attraper au collet le coq de bruyère. Il suffisait d'écouter son chant rauque et de ramper sous le vent, jusqu'à lui.

Puis à l'aide d'une longue perche de noisetier, on lui passait autour du cou un fil de lin qu'il fallait tirer d'un coup sec.

Au soir du 5 septembre 1755, Herménégilde et Long Souffle riaient ensemble du dernier coq capturé puis échappé au cap Fendu.

Soudain, Long Souffle devint sérieux. «Le rêve, pensa son ami. Il se souvient du mauvais rêve.»

— Changeons de sentier.

— Pourquoi? ne put s'empêcher de demander Herménégilde.

— Pour ne pas réveiller Glooscap*. Il dort sur la falaise.

— Qui est Glooscap?

— Tu ne le sais pas?

— Non.

— C'est le dieu de la forêt, du ciel et des eaux calmes. C'est lui qui a créé ce monde et l'invisible. Il dort ici. Rentrons doucement.

C'est donc en silence que les deux enfants descendirent des montagnes du nord longeant la baie Française*.

Pour se reposer, ils firent halte sur une corniche dominant le bassin des Mines et là, leur cœur se serra.

Des navires anglais mouillaient dans le bassin. De la Grand-Pré, où vivait Herménégilde, une épaisse fumée noire s'élevait dans le ciel.

— Seigneur Jésus Marie! s'exclama-t-il, saisi d'effroi. C'est mon village qui brûle! En effet, la Grand-Pré brûlait, de même que Rivière-aux-Vieux-Habitants et Rivière-aux-Canards. Long Souffle regarda son ami.

— Viens! ordonna-t-il.

Ils coururent longtemps dans la forêt. Arrivés à la rivière Pisiguid, ils la traversèrent en canot. Puis ils attendirent la nuit pour s'approcher de la lisière du bois, qui marquait la limite du village et des prés salés.

Les champs de blé d'Inde brûlaient
encore. Mais, Dieu merci, les habitations
avaient été épargnées. Les soldats ne les
avaient pas détruites, car ils pensaient
bientôt les donner à des colons écossais.
Les enfants virent des hommes, encadrés
par des militaires, qu'on poussait dans
l'église Saint-Charles. L'oncle Eustache
d'Herménégilde! Son oncle Alexandre!

Son père!! Il voulut les rejoindre, mais Long Souffle le retint fermement par le bras.

— Non! murmura-t-il.

Quand Hippolyte, son frère aîné, franchit le dernier le porche de l'église, Herménégilde ne put retenir ses larmes.

— Ne pleure pas, murmura à nouveau Long Souffle. Tu les reverras, ils reviendront. L'aigle à tête blanche part au printemps, mais l'hiver le ramène.

— L'hiver, soupira Herménégilde. L'hiver est si long.

Long Souffle l'entraîna dans les bois.

Une nouvelle vie commençait.

2

Le Grand
Dérangement

Le Saqamaw, homme sage de la communauté micmaque, accueillit Long Souffle et Herménégilde à l'entrée du wigwam*. Il connaissait les malheurs des Acadiens et il pensait que la guerre allait reprendre entre son peuple et les Anglais.

C'était la première fois qu'Herménégilde pénétrait dans un wigwam. Au centre de celui-ci, un feu doux couvait sous des braises. À la faible lueur de ce foyer, il distingua des plantes qui séchaient, pendues

à l'armature en noisetier. Une douzaine de personnes dormaient sur le sol recouvert de branches de pin. Herménégilde

s'enveloppa dans la même couverture en peau d'orignal que son ami. Il s'endormit aussitôt, oubliant sa peine et sa fatigue.

Tôt le lendemain matin, Long Souffle le réveilla :

— Retournons à la Grand-Pré, lui dit-il.

Herménégilde ouvrit les yeux, croyant qu'il venait de rêver. Mais ce n'était pas un rêve.

— Vite, dit Long Souffle. Partons.

Ils coururent jusqu'à leur cachette de la veille.

Les soldats entouraient le village et gardaient prisonniers les hommes. Les femmes, elles, un peu plus libres de leurs mouvements, leur apportaient de la nourriture qui alimentait aussi les militaires.

Dans les semaines qui suivirent, Herménégilde et Long Souffle assistèrent, impuissants, à l'embarquement puis au départ pour l'exil des habitants de la Grand-Pré. Des familles furent séparées.

Les hommes, les femmes et les enfants furent entassés sur de vieux bateaux arrivés des colonies anglo-américaines.

Par un jour d'octobre, les Anglais incendièrent l'église. Puis dans la marée descendante, les navires avec à leur bord les derniers Acadiens de la Grand-Pré disparurent derrière le cap Fendu.

Herménégilde Landry, fils de Jean-Eugène Landry et de Marie Doucet, frère d'Hippolyte, d'Eugénie, d'Ursule, de Marie-Radegonde, de Marthe et d'Aristide Landry, fixait maintenant le ciel et criait : « Pourquoi, mon Dieu?! Pourquoi?! »

Plus aucun soldat ne surveillait le village. Du fort, au sommet de la colline, à côté du cimetière, aucune fumée ne sortait.

Méfiants, Herménégilde et Long Souffle fouillèrent les maisons, désespérément vides. L'église Saint-Charles brûlait encore, mais il restait le réduit de pierre, à l'abri des flammes, où le prêtre entreposait les archives du village. Herménégilde y pénétra. Il ressortit aussitôt avec un grand cahier sous le bras et un petit livre relié plein cuir qui lui sembla neuf. Mais en le feuilletant, il fut déçu. Ce n'était pas la Bible, mais un livre intitulé L'*esprit des lois*. C'était la première fois de sa vie qu'il touchait un livre neuf, avec des pages mal coupées et une drôle d'odeur d'encre.

Long Souffle lui demanda :

— Ce sont des cahiers de comptes ? Comme ceux où les Français marquent le nombre de fourrures que nous leur échangeons ?

— Non. Que des histoires. De vieilles histoires. Un simple « Livre de raison ».

— Et ça ? fit-il en pointant du doigt le livre à la couverture de cuir.

— Je ne sais pas. Je me suis trompé.

Long Souffle le prit, l'ouvrit, le caressa doucement et dit en le rendant à son ami :

— Il est entouré de peau. L'animal était vieux et malade. Je sens de la peine, comme la tienne en ce moment.

— Qui t'a appris à lire les peaux, Long Souffle ?

— Le vent et les objets me parlent, n'oublie pas.

Ils rentrèrent au camp, lentement, envahis par la tristesse et la solitude.

3

Une nouvelle vie

Les Micmacs étaient désormais la nouvelle famille d'Herménégilde. Il prit la décision d'apprendre leur langue afin de vivre dans l'harmonie de ce peuple. Long Souffle ne pouvait pas toujours lui servir d'interprète.

À l'aide d'une roche rouge et friable mélangée à des bleuets, il fabriqua un liquide ocre et épais. Il s'assit à l'extérieur du wigwam, trempa une plume d'oie sauvage dans l'encre et demanda à son ami le premier mot qui lui passa par la tête.

— Comment dit-on « œuf » ?

— Waw.

Il écrivit « Waw » sur l'écorce de bouleau qui recouvrait le wigwam.

— Et « ami » ?

— Nikma'j.

Il écrivit ce nouveau mot.

— Et... érable ?

— Snawey.

Herménégilde regarda tristement Long Souffle et lui posa une dernière question :

— Et « Acadie » ?

— Mi'kmak'kik.

La première leçon s'arrêta là.

Petit à petit, le wigwam du Saqamaw se couvrit de mots français et micmacs. Dans la journée, Herménégilde les lisait à haute voix en passant devant. Cela faisait rire ceux qui l'entendaient.

Cette année-là, il a fait froid bien plus tôt que d'habitude. Les lacs gelèrent dès la fin octobre.

Herménégilde apprit à chasser le castor.

— Viens, lui dit Long Souffle, je vais te montrer.

Il repéra un abri de castor, cassa la glace non loin de celui-ci et remua vivement le fond à l'aide d'une branche de bouleau.

— Regarde, il est effrayé. Il va se réfugier au fond de l'eau. Maintenant, suis-moi. Herménégilde n'avait pas fait de différence entre l'abri de castor et les autres tas

de bois. Quant à l'animal, il ne l'avait pas vu du tout.

— Regarde, maintenant. C'est son trou de respiration. Il va remonter ici, loin de son abri. Dès qu'il pointe le museau, je le harponne.

Mais l'après-midi passa et les deux amis revinrent bredouilles.

— Je me suis trompé de trou de respiration. Demain, nous essaierons ailleurs.

Le lendemain soir, après avoir remercié l'esprit du rongeur, Long Souffle distribuait fièrement de la chair de castor aux membres de la communauté.

Cet hiver-là, Long Souffle tua son premier orignal et entra dans le cercle des chasseurs. Herménégilde eut le droit d'assister aux assemblées, mais en silence.

Afin de devenir lui aussi un grand chasseur, Herménégilde décida d'apprendre les techniques de chasse de Long Souffle en le suivant partout et en imitant ses gestes. Car seul, il restait encore incapable de débusquer un orignal dans la forêt ou de harponner un phoque dans la baie.

— Tu dois être capable de te mettre à la place de l'animal, d'entendre ses pensées et de voir par ses yeux. C'est ainsi que je le débusque. En l'écoutant, et en voyant ce qu'il voit.

— Mais comment puis-je y arriver?

— En écoutant tes rêves et le monde qui t'entoure.

Herménégilde ne comprit pas ce que son ami voulait dire. Mais il décida de se souvenir de ses rêves avant qu'ils ne s'effacent dans les premiers instants du réveil. Il y voyait des flammes, des navires ou bien son frère Hippolyte qui marchait sur des eaux agitées. Que des images tristes qu'il préférait oublier.

— Je n'entends rien, avoua-t-il d'un air désolé à Long Souffle.

— Ne cherche pas.

— Mais, protesta-t-il, mes parents m'ont toujours dit que pour trouver il faut chercher. J'ai toujours appris à chercher.

— Non. Dans notre monde, c'est l'esprit qui te trouve. Laisse-le venir à toi. Observe sans penser.

Herménégilde ne savait pas observer sans penser. Pourtant, il essayait. Assis devant le lac, emmitouflé dans une épaisse couverture en peau de phoque, il attendait un signe.

Quand le froid lui mordait trop fort les pieds ou le bout du nez, il rentrait au wigwam. Parfois, par beau temps, il montait sur les montagnes du nord et observait la baie Française, à l'est du cap Fendu.

Souvent, des geais bleus volaient autour de lui et se posaient même sur ses épaules. Il ne bougeait pas. Il observait.

Il se laissait alors envahir par la douce chaleur des rayons du soleil d'hiver et par l'infinie beauté de la baie claire et scintillante. Ce spectacle apaisait un peu sa peine et sa solitude.

En rentrant au wigwam, un soir, un geai bleu le suivit. Puis deux. Puis trois. Puis un nuage d'oiseaux tourbillonna soudain autour de lui. Il s'arrêta et interrogea ce spectacle du regard. Oui. Il comprenait. Quelque chose de grave allait arriver. Il pensa que c'était un peu comme dans le rêve de Long Souffle en septembre dernier. Il courut rejoindre son ami.

— Long Souffle! cria-t-il. Long Souffle!
Il faut partir! L'esprit du geai bleu
m'annonce un nouveau malheur.

Il lui décrivit alors ses impressions.

— Les Anglais vont revenir au printemps,
conclut son ami, habitué à déchiffrer ces
signes. Nous serons prêts.

Pour sa vie en terre micmaque, Herménégilde avait changé de langue. Il avait
cependant gardé son cahier et son livre.
Dans le cahier, il avait lu ce qu'il savait déjà
de la bouche de ses parents : l'histoire des
premiers habitants qui, depuis presque un
siècle, avaient asséché les basses terres de
la Grand-Pré; le dur travail à l'aboiteau*;
les naissances et les morts; les mariages.
Sa mère lui avait raconté bien d'autres
histoires encore. Aujourd'hui, dans sa
nouvelle vie, ces souvenirs à jamais gravés
dans son cœur lui étaient devenus
douloureux.

Au printemps, son visage d'enfant avait laissé la place aux premiers traits d'homme. Il portait des vêtements de peau, et non plus de laine ou de lin. Il avait adopté le pas souple et silencieux des membres de sa nouvelle famille. En un hiver, un nouvel Herménégilde était né. Le Saqamaw lui donna un nouveau nom : Geai de la Baie.

4

Le voyage

Les Anglais avaient décidé de vider l'Acadie de sa population française. Ils occupèrent la baie Sainte-Marie et ratissèrent les forêts en remontant vers le nord, vers la Grand-Pré.

Le Saqamaw prévint Herménégilde :

— Ils arrivent. Des frères leur résistent. Désires-tu nous suivre dans les montagnes de l'intérieur, même si tu n'es pas encore ni un grand chasseur ni un grand guerrier ?

— Mais... ? hésita Herménégilde.

— La Grand-Pré sera occupée dans une lune. Nous partons ce jour.

C'était la première fois qu'Herménégilde voyait le visage du Saqamaw peint de
traits rouges et noirs horizontaux. Ce
n'étaient pas là des peintures de chasse. Il
se demanda quelle cérémonie préparaient
les Micmacs. Il ne connaissait pas ces peintures, mais il se souvint de ces mots : « Tu
n'es pas encore un guerrier ! » C'était donc
des peintures de guerre !

Long Souffle sortit du wigwam et s'approcha de son ami. Son visage n'était pas peint. Lui non plus n'était pas encore un guerrier. Heureusement, pensa Herménégilde.

— Nous accompagnes-tu? lui demanda Long Souffle dont le regard brillait d'une force que son ami n'avait encore jamais vue.

Herménégilde baissa les yeux.

— Non, répondit-il à voix basse. Je dois retrouver ma famille.

— Alors, nous nous reverrons.
Ce fut tout.

Et Herménégilde partit.

Il avait appris que, l'automne précédent, des Acadiens s'étaient réfugiés loin au nord-ouest, dans le village côtier de Miramichi. Pour rejoindre cet endroit, il pouvait traverser la baie Française en canot, mais alors il courrait le risque d'être capturé par un navire anglais. Il pouvait aussi passer par le centre de la forêt, en évitant les côtes et les grands chemins. Il choisit la deuxième solution et décida de voyager la nuit et de rester caché dans la journée.

Le Saqamaw lui avait expliqué le chemin.

— Après avoir contourné la baie de Cobequid, toujours marcher nord-ouest en gardant sur la droite la mer avant l'île Saint-Jean*.

Herménégilde se mit à courir pour éviter de pleurer et de penser à son meilleur ami qu'il ne reverrait peut-être plus jamais.

Soudain, il s'arrêta.

Dans le sous-bois, au loin, à travers les buissons, il vit un lapin zigzaguer comme un fou.

« Tiens, tiens, pensa-t-il, voilà une course étrange. » Derrière le lapin, un énorme couguar apparut ! Même les Micmacs avec qui il avait vécu n'en avaient jamais tué. C'était un animal de leurs légendes et ils le représentaient parfois en peinture. Devant lui, le félin déséquilibra le malheureux lapin d'un coup de patte rageur. Herménégilde entendit les os craquer. Ensuite, satisfait, le couguar disparut lentement dans la forêt.

« Je sais reconnaître le territoire d'un loup, d'un coyote ou d'un ours, mais je n'avais jamais pensé à un couguar ! Au moins, se dit-il, si une telle bête chasse ici, c'est que les hommes sont loin. Je ne risque pas de faire de mauvaises rencontres. »

Il marcha toutes les nuits de l'été.

Le jour, il campait près d'un ruisseau et attrapait le saumon au trident, le lapin au collet, les oiseaux à la résine. Il connaissait le secret des plantes sauvages, et il n'éprouva aucune difficulté à se nourrir.

54

Parfois, il invitait des Micmacs et des Malécites à partager ses repas. Il apprit ainsi que les Micmacs se battaient contre les Anglais vers la baie Sainte-Marie et sur l'île Royale*. Il pensa à Long Souffle. Portait-il maintenant des peintures de guerre?

5

Hippolyte

Lorsqu'Herménégilde sortit enfin de la forêt pour pénétrer dans Miramichi, il fut très surpris de rencontrer là tant d'Acadiens, à l'air misérable et affamé.

Il se mêla à cette foule étrange et, un beau jour, se trouva face à face avec son frère Hippolyte.

— Herménégilde ? demanda celui-ci, peu sûr.

— Hippo ?

— Hermé !!

Il lui ouvrit les bras. Herménégilde
l'embrassa et trouva qu'il sentait le chien
crevé.

— Mais que t'est-il arrivé? demanda Hippolyte. D'où sors-tu donc?

— J'ai...

Herménégilde chercha ses mots. Il n'avait plus parlé français depuis presque un an. Il fit un effort.

— Je suis... resté... avec les Micmacs... dans la forêt. Et au printemps... j'ai... je suis... parti. Et toi?

— Moi, on m'a déporté en Caroline. Le gouverneur ne voulait pas de nous, là-bas. Et puis nous, bien sûr, on ne voulait pas rester. Alors, on a proposé de l'argent au capitaine de la frégate qui nous a ramenés ici, vers le mois de mai.

— Et nos parents?

— Je ne sais pas. J'étais le seul de la Grand-Pré sur le navire. Je ne sais pas où ils sont. Peut-être en Caroline, à Boston ou à New York. Mais si j'ai pu revenir, peut-être reviendront-ils bientôt?

— Tu crois... qu'ils... reviendront?

—Oui. Un jour, ils reviendront.

Herménégilde serra à nouveau son grand frère dans ses bras.

Et il pleura longtemps.

Glossaire

Aboiteau : sorte de barrage.

Baie Française : Baie de Fundy.

Cap Fendu : Cap Split, en Nouvelle-Écosse.

Gaspareau : Espèce de hareng.

Glooscap : Héros mythique des légendes micmaques. L'origine de Glooscap est incertaine. Ce serait un homme très grand, voire un géant, qui avait la faculté de pouvoir parler aux animaux et de rétablir la paix lors d'un conflit. La légende dit aussi qu'il a créé l'améthyste qu'il offrait volontiers en cadeau. Il a habité de nombreux endroits dans les provinces maritimes du Canada. On dit enfin qu'il s'est endormi sur les hauteurs du cap Blomidon, et qu'il ne faut surtout pas le réveiller.

Île Royale : Cap-Breton, au nord de la Nouvelle-Écosse.

Île Saint-Jean : Île-du-Prince-Édouard.

Wigwam : Tente circulaire des Micmacs recouverte d'écorce de bouleau et parfois doublée, en hiver, de peau d'orignal.

Table des matières